1917–1934
Miró

l'exposition
the exhibition

La Naissance du monde
The Birth of the World

Exposition présentée au Centre Pompidou, Galerie 1, du 3 mars au 28 juin 2004
Exhibition presented at the Pompidou Center, Gallery 1, 3th March - 28th June 2004

**Centre
Pompidou**

« Les gens comprendront de mieux en mieux que j'ouvrais des portes sur un autre avenir, contre toutes les idées fausses, tous les fanatismes. »

"People will understand better and better that I was opening doors on another future, against all prejudices, all fanaticisms."

Autoportrait
1919

Huile sur toile, 73 x 60 cm, Paris, Musée national Picasso

Prades,
le
village
1917

Huile sur toile, 65 x 72 cm, New York, The Solomon R. Guggenheim Museum

**Siurana,
le
sentier**
1917

Huile sur toile, 60 x 73 cm, Madrid, Museo Nacional Centro de Arte Reina Sofía

Montroig, l'église et le village

1919

Huile sur toile, 73 x 60 cm, Collection Dolorès Miró

«Quand je vois un arbre, je reçois un choc, comme si c'était quelque chose qui respirait, qui parlait. Un arbre, c'est aussi quelque chose d'humain.»

"When I see a tree, I get a shock, as though it were something that breathes, that talks. A tree is also something human."

Le Potager à l'âne

1918

Huile sur toile, 64 x 70 cm, Stockholm, Moderna Museet

**Nu au
miroir**
1919

Huile sur toile, 113 x 102 cm, Düsseldorf, Kunstsammlung Nordrhein-Westfalen, non exposé

**Le Jeu
de cartes
espagnoles**
1920

Huile sur toile, 63,5 x 69,5 cm, Minneapolis, The Minneapolis Institute of Arts. Gift of Mr. and Mrs. John Cowles

Huile sur toile, 81 x 61,5 cm, Paris, Centre Pompidou, Musée national d'art moderne. Dation, 1997

**Intérieur
(La Fermière)**

1922–1923

Nature morte I (L'Épi de blé)
1922–1923

Huile sur toile, 37,8 x 46 cm, New York, The Museum of Modern Art. Purchase, 1939

Nature morte II (La Lampe à carbure)
1922–1923

Huile sur toile, 38,1 x 45,7 cm, New York, The Museum of Modern Art. Purchase, 1939

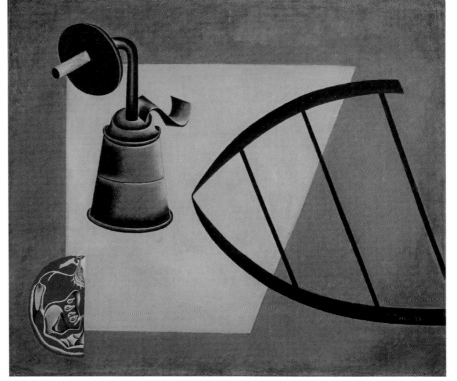

La Ferme
1921–1922

Huile sur toile, 132 x 147 cm, Washington, National Gallery of Art. Gift of Mary Hemingway, 1987

La Terre labourée

1923–1924

Huile sur toile, 66 x 94 cm, New York, The Solomon R. Guggenheim Museum

**Portrait
de Madame K.**
1924

Fusain, crayons de couleur, pastel, sanguine, craie et crayon sur toile, 116,5 x 91 cm, Collection particulière

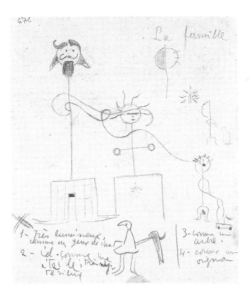

La Famille
(étude)
1924

La Famille
1924

Fusain, sanguine, pastel, crayon de couleur sur papier, 74,9 x 104,1 cm, New York, The Museum of Modern Art. Gift of Mr. and Mrs. Jan Mitchell, 1961

Baigneuse
1924

Huile sur toile, 72,5 x 92 cm, Paris, Centre Pompidou, Musée national d'art moderne. Donation Louise et Michel Leiris, 1984

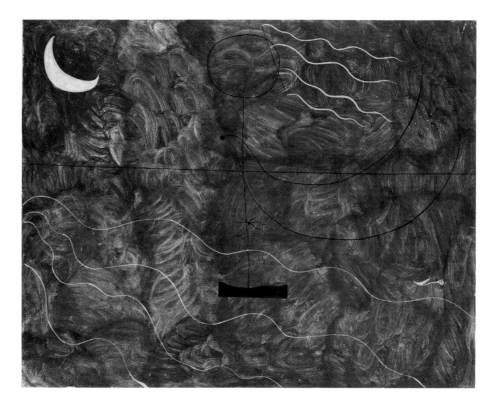

Huile sur toile, 113 x 146 cm, Paris, Centre Pompidou, Musée national d'art moderne. Achat, 1977

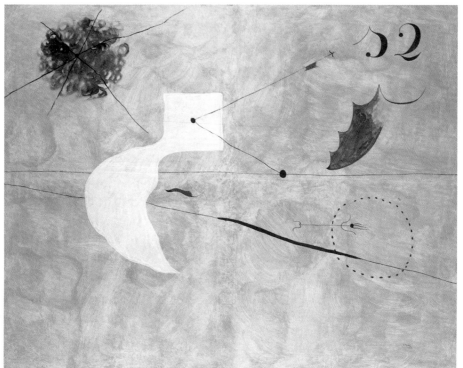

La Sieste
1925

**Tête
de paysan
catalan**
1925

Huile sur toile, 92 x 73 cm, Londres, Tate et Édimbourg, Scottish National Gallery of Modern Art

**Peinture-poème
(«Étoiles
en des sexes
d'escargots»)**
1925

Huile et inscription manuscrite sur toile, 130 x 97 cm, Düsseldorf, Kunstsammlung Nordrhein-Westfalen

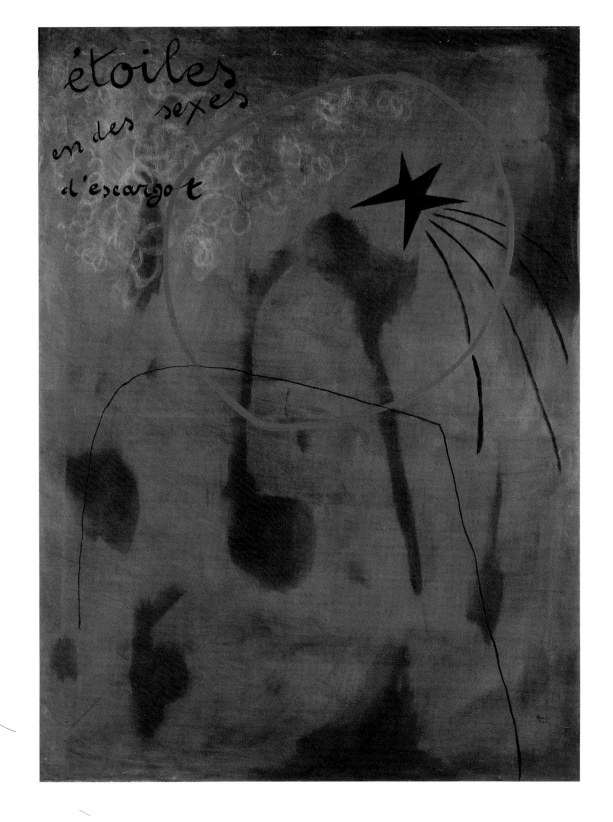

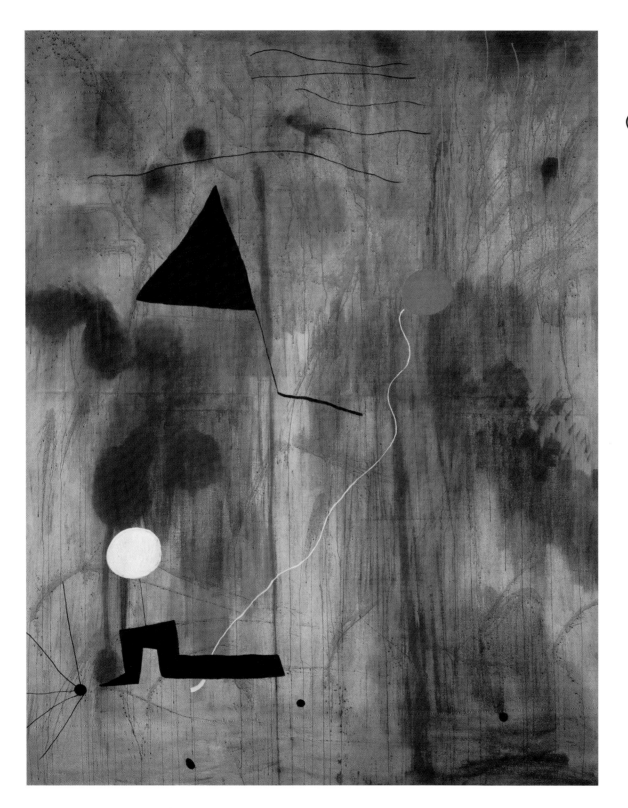

Peinture (La Naissance du monde)
1925

Huile sur toile, 250,8 x 200 cm, New York, The Museum of Modern Art. Acquired through an anonymous fund, the Mr. and Mrs. Joseph Slifka and Armand G. Erpf Funds, and by gift of the artist, 1972

Huile sur toile, 114 x 146 cm, Collection particulière

Paysage
(La Sauterelle)
1926

Chien aboyant à la lune
1926

Huile sur toile, 73 x 92,1 cm, Philadelphie, Philadelphia Museum of Art. A. E. Gallatin Collection, 1952

«Je suis bouleversé quand je vois, dans un ciel immense, le croissant de la lune ou le soleil. Il y a d'ailleurs, dans mes tableaux, de toutes petites formes dans de grands espaces vides.»

"The spectacle of the sky overwhelms me. I am overwhelmed when I see a crescent moon or the sun in an immense sky In my paintings there are often tiny forms in vast empty spaces."

**Peinture
(Paysage
au coq)**
1927

Huile sur toile, 130 x 195 cm, Riehen/Bâle, Fondation Beyeler

« Les espaces vides, les horizons vides, les plaines vides, tout ce qui est dépouillé m'a toujours beaucoup impressionné. »

"Empty spaces, empty horizons, empty plains—everything that has been stripped bare has always made a strong impression on me."

Huile sur toile, 129,6 x 194,6 cm, New York, The Solomon R. Guggenheim Museum

**Paysage
(Le Lièvre)**
1927

« La peinture est en décadence depuis l'âge des cavernes. »

"Painting is in decline since the Stone Age."

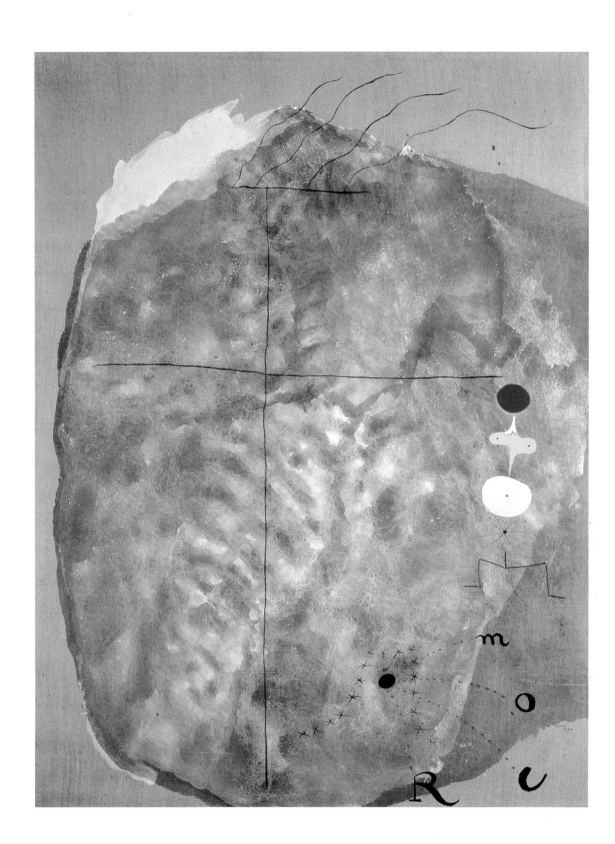

Huile et inscription manuscrite sur toile, 146 x 114 cm, Cologne, Museum Ludwig

**Peinture-
poème
(« Amour »)**
1926

Peinture
(Le Fou
du roi)
1926

Huile, fusain et crayon sur toile, 114 x 146 cm, Milwaukee, Milwaukee Art Museum, Gift of Mr. and Mrs. Maurice W. Berger, 1966

« 48 : c'était le chiffre obsédant qui me frappait quand je sortais, sur l'immeuble d'en face le 48 de la rue Blomet. »

"48: this was the obsessive number that hit me whenever I went outside—the number on the building across the street, 48 rue Blomet."

Peinture
(« 48 »)
1927

**Peinture-poème
(«Beaucoup
de monde»)**
1927

Huile, tempera et inscription manuscrite sur toile, 81 x 100 cm, Collection particulière

Peinture
1927

Huile sur toile, 97,2 x 130,2 cm, Londres, Tate. Purchased, 1971

**Peinture
(Les
Fratellini)**
1927

Huile et gouache sur toile, 130,2 x 97,1 cm, Philadelphie, Philadelphia Museum of Art, A. E. Gallatin Collection, 1952

**Intérieur
hollandais I**
1928

Huile sur toile, 91,8 x 73 cm, New York, The Museum of Modern Art, Mrs. Simon Guggenheim Fund, 1945

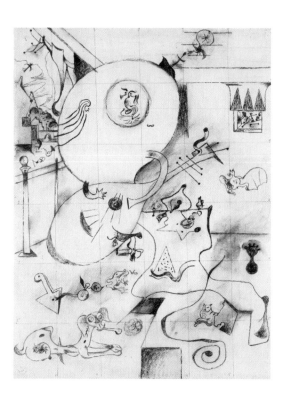

**Intérieur
hollandais I**
(dessin
préparatoire)
1928

Fusain et crayon graphite sur papier Ingres, 62,6 x 47,3 cm, New York, The Museum of Modern Art, Gift of the artist,

«Les formes sont à la fois immobiles et mobiles dans mes tableaux. Elles sont immobiles parce que la toile est un support immobile. Elles sont immobiles à cause de la netteté de leurs contours et de cette sorte d'encadrement où elles sont situées parfois. Mais précisément parce qu'elles sont immobiles, elles suggèrent des mouvements.»

"In my paintings, the forms are both immobile and mobile. They are immobile because the canvas is an immobile support. They are immobile because of the cleanness of their contours and because of the king of framing that sometimes encloses them. But precisely because they are immobile, they suggest motion."

Intérieur hollandais III
1928

Huile sur toile, 128,9 x 96,2 cm, New York, The Metropolitan Museum of Art, Bequest of Florene M. Schoenborn, 1995

La Pomme de terre
1928

Huile sur toile, 101 x 81 cm, New York, The Metropolitan Museum of Art, Jacques and Natasha Gelman Collection

Portrait de Mistress Mills en 1750
1929

Huile sur toile, 116,7 x 89,6 cm, New York, The Museum of Modern Art, James Thrall Soby Bequest, 1979

« Je ne m'intéresse à aucune école, à aucun artiste. Aucun. Seul l'art anonyme m'intéresse, celui qui surgit de la masse inconsciente. Je peins comme si je marchais dans la rue. Je ramasse une perle ou un croûton de pain et je restitue ce que j'ai ramassé. »

"I'm not interested in any school or in any artist. Not one. I'm only interested in anonymous art, the kind that springs from the collective unconscious. I paint the way I walk along the street. I pick up a pearl or a crust of bread and that's what I give back, what I collect."

Portrait d'une danseuse
1928

Plume, bouchon, épingle à chapeau sur panneau de bois peint au ripolin, 100 x 80 cm, Paris, Centre Pompidou, Musée national d'art moderne. Don Aube Breton-Elléouët, 2003

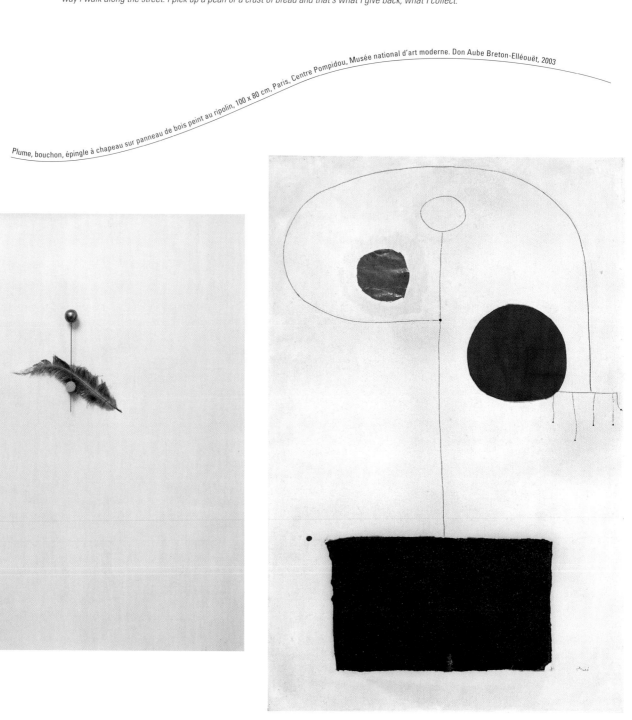

Collage
1929

Crayon Conté, papier goudron et papiers velours collés, sur papier vergé, 102,5 x 68 cm, Collection particulière

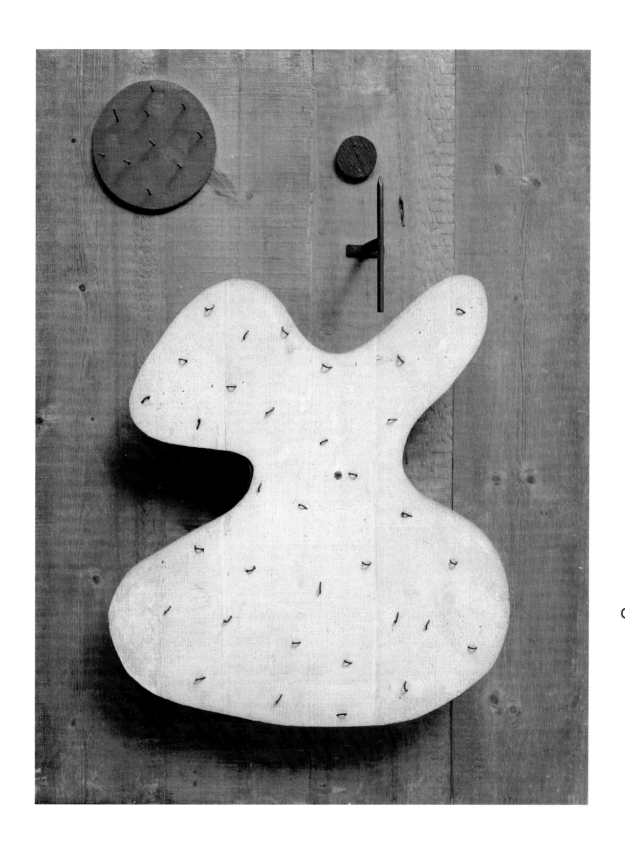

Bois et métal, 91,1 x 70,2 x 16,2 cm, New York, The Museum of Modern Art, Purchase, 1937

Relief-Construction
1930

«C'est vers les années trente, que j'ai commencé à travailler dans les trois dimensions, mais ce n'étaient ni des sculptures ni des objets, des sortes de constructions plutôt. »

"I began working in three dimensions in the thirties—not sculptures or objects, but constructions of a sort."

Construction
1930

Bois et métal, 91 x 71 x 37 cm, Stuttgart, Staatsgalerie Stuttgart

Collage
1929

Encre, crayon Conté et gouache, papier velours, papier journal, papiers vergés, toile émeri, 72,7 x 108,4 cm, New York, The Museum of Modern Art. James Thrall Soby Fund

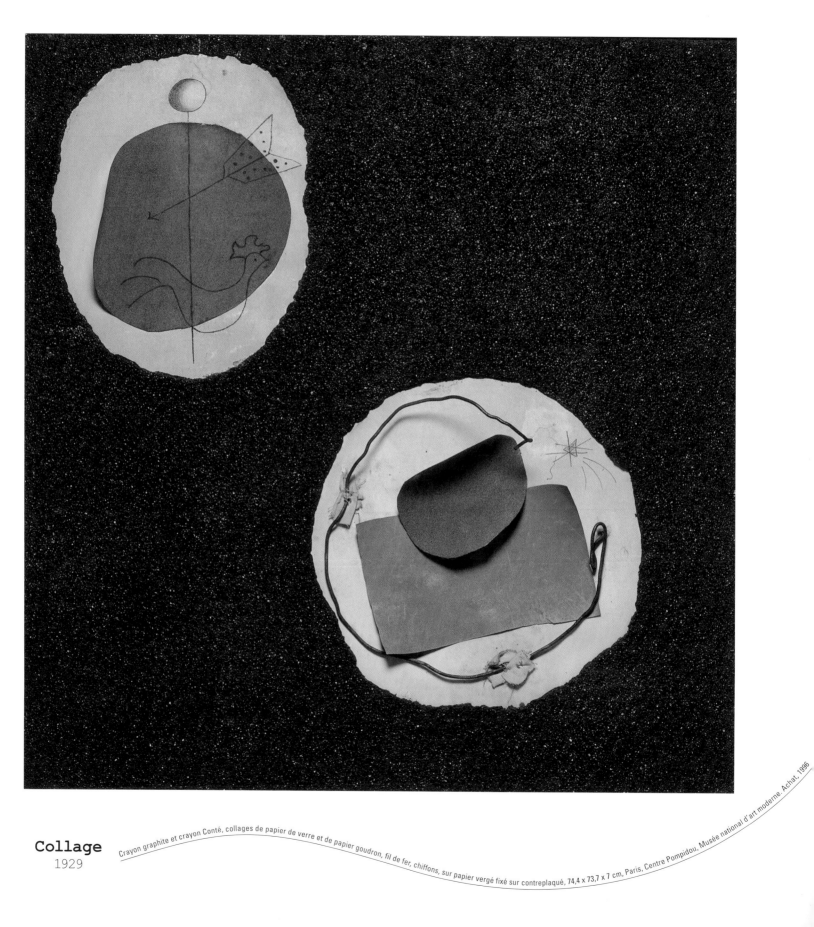

Collage
1929

Crayon graphite et crayon Conté, collages de papier de verre et de papier goudron, fil de fer, chiffons, sur papier vergé fixé sur contreplaqué, 74,4 x 73,7 x 7 cm, Paris, Centre Pompidou, Musée national d'art moderne, Achat, 1996

« Je sais que je suis des chemins périlleux, et j'avoue que souvent je suis pris de panique, de cette panique du voyageur qui marche en des chemins inexplorés ; je réagis ensuite, grâce à la discipline et à la sévérité avec lesquelles je travaille et alors la confiance et l'optimisme reviennent me rendre l'impulsion. »

"I know I follow dangerous paths, and I admit that, often, I am struck with panick, the same panick that strikes the traveller who walks on untrodden paths; I then regain my self-control thanks to the discipline and the strictness I apply to my work, and so, confidence and optimism return and bring back the impulse."

Crayon Conté, papier goudron collé sur papier, 67 x 100 cm, Collection Groupe Lhoist

Collage
1929

Huile sur bois, chaîne et pièces de métal, 34 x 18 x 5,5 cm, Paris, Centre Pompidou, Musée national d'art moderne. Datio

**Homme
et femme**
1931

Peinture-objet
1931

Huile, isolateur, bois brûlé, sable et rouages de montre sur bois, 27 x 13,5 x 6,8 cm, Paris, Collection particulière

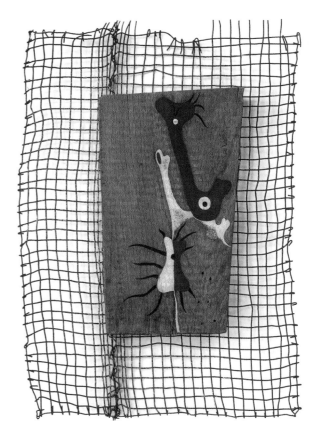

Peinture-objet
1931

Peinture blanche, peinture à l'huile et sable sur planche de bois agrafée sur grillage de fer, 36 x 26 x 3 cm, Paris, Centre Pompidou, Musée national d'art moderne. Achat, 1985

Peinture-objet
1931

Moule à gâteau, anneaux, grille en carton, sable et huile sur bois, 13,5 x 20,5 x 5 cm, Zurich, Kunsthaus Zürich. Donation de la Collection Erna et Curt Burgauer

**Tête
de grand
musicien**

mai 1931

Huile sur toile, 61 x 50 cm, Villeneuve d'Ascq, Musée d'art moderne Lille Métropole, Donation Geneviève et Jean Masurel, 1979

**Flamme
dans
l'espace**
1932

Huile sur bois, 41 x 33 cm, Barcelone, Fundació Joan Miró. Don de Joan Prats, 1975

**Peinture
(La magie
de la
couleur)**
1930

Huile sur toile, 150 x 225 cm, Houston, The Menil Collection

Encre et gouache sur papier, 107,7 x 71,3 cm, Collection particulière

Dessin-collage
1933–1934

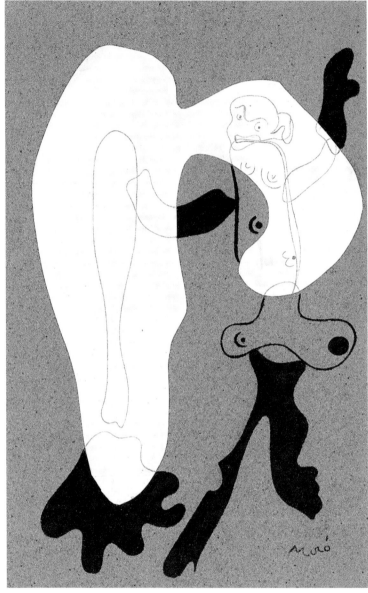

**Personnages
dans
la nuit**
1933

Huile sur papier de verre, 36,8 x 22,9 cm, Genève, galerie Jan Krugier, Ditesheim & Cie

**Collage-
peinture**
septembre
1934

Huile, crayon et collage sur papier de verre, 36,5 x 23 cm, Collection particulière

**Collage-
peinture**
6 décembre
1933

Huile sur papier de verre, 37 x 23 cm. Collection particulière, courtesy galerie Odermatt-Vedovi

**Trois
Personnages
sur
fond noir**
29 mai 1934

Papiers collés et gouache sur papier, 49,8 x 64,8 cm, Villeneuve d'Ascq, Musée d'art moderne Lille Métropole. Donation Geneviève et Jean Masurel, 1979

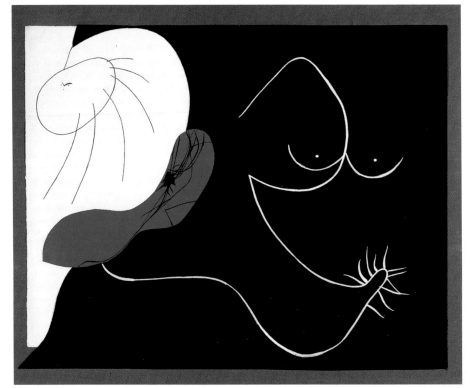

Collage et gouache sur papier, 50 x 63,5 cm, Collection particulière

Sans titre
1934

« Tout défi à la peinture comporte une part de paradoxe à partir du moment où il s'exprime par une œuvre. »

"Every challenge to painting is a paradox—from the moment that challenge is expressed in a work."

**Dessin-
collage**
31 mai 1934

Collage, encre, crayon sur papier aluminium, 70 x 50 cm, Hanovre, Sprengel Museum, Kurt und Ernst Schwitters Stiftung

Collage, crayon Conté et crayon sur papier, 106,6 x 71,1 cm, Collection particulière

Dessin-collage
1933

« Je m'efforce d'atteindre de plus en plus de clarté, de puissance et d'agressivité plastique, c'est-à-dire de provoquer d'abord une sensation physique, pour arriver ensuite à l'âme. »

"As for my means of expression, I struggle more and more to achieve a maximum clarity, force, and plastic aggressiveness—in other words, to provoke an immediate physical sensation that will then make its way to the soul."

Crayon et papier de soie sur papier, 63,5 x 47 cm, Collection particulière

**Sans titre
(L'Homme
au papier
de soie)**
25 mai 1934

Peinture
13 juin 1933

Huile sur toile, 174 x 196,2 cm, New York, The Museum of Modern Art, Loula D. Lasker Bequest (by exchange), 1937

«Quand j'ai terminé une œuvre, je vois en elle le point de départ d'une œuvre suivante. Mais rien de plus qu'un point de départ pour aller dans une direction opposée. »

"What I mean is that when I've finished something I discover it's just a basis for what I've got to do next. It's never anything more than a point of departure, and I've got to take off from there in the opposite direction."

Peinture
4 mars 1933

Huile sur toile, 145 x 114 cm, Paris, Centre Pompidou, Musée national d'art moderne. Dation, 1991

Repères biographiques

Biographic landmarks

Joan Miró est né le 20 avril 1893, à Barcelone, Passatge del Crèdit, 4. En 1907, il s'inscrit, selon le souhait de son père, à l'École de commerce de Barcelone mais parallèlement, suit les cours de l'Académie d'art de la Lonja jusqu'en 1910. En 1911, sa famille achète une ferme à Montroig dans la province de Tarragone. Cette même année, ses parents acceptent la décision de leur fils de se consacrer exclusivement à l'art. À partir de cette date, Miró passera tous ses étés à Montroig. Do 1912 à 1915, il fréquente l'Escola d'art de Francesc Galí, une école privée ouverte aux idées de l'avant-garde européenne. Miró y rencontre Joan Prats, Josep Francesc Ràfols, Enric Cristòfol Ricart et probablement Josep Llorens Artigas qui seront des amis de toute une vie.

1917

Dans l'atelier, rue Sant Pere Més Bais, 51, à Barcelone, Miró commence à peindre des portraits, en particulier ceux de ses amis, et des natures mortes. Il visite l'« Exposition d'art français » (23 avr.-5 juil.) qui l'impressionne fortement. Durant l'été, il commence une série de quatorze peintures, représentant des paysages de la campagne environnante. 31 déc. : fin de son service militaire.

1918

Commence à peindre des *Nus*. En février, il fonde avec Artigas, Francesc Domingo, Espinal, Ràfols, Ricart, Rafael Sala, l'Agrupació Courbet.
6 févr.-3 mars : première exposition personnelle à la galerie Dalmau. Les 64 peintures et dessins qu'il présente, provoquent un scandale.
Début juil.-début déc. : séjourne à Montroig. Dans ses peintures de paysages *(La Maison du palmier, Le Potager à l'âne)*, Miró s'attache à représenter de façon très détaillée et minutieuse tout ce qui l'entoure.

1919

Miró peint l'*Autoportrait* que Picasso lui achètera et gardera toute sa vie.
À Montroig, il continue à travailler à des paysages *(Le Village de Montroig, Vignes et oliviers, Tarragone)*. De retour à Barcelone, il peint le *Nu au miroir*, et organise les premiers préparatifs pour son séjour à Paris.

1920

Arrivé à Paris, Miró s'installe à l'hôtel de Rouen, 13 rue Notre-Dame-des-Victoires. Au cours du mois de mars, se rend à l'atelier de Picasso et suit les cours de l'académie de la Grande Chaumière. Il visite les musées et les expositions les plus importantes du moment. Mi-juin-mi-oct. : de retour à Montroig, Miró travaille à des natures mortes *(La Table [Nature morte au lapin] ; Le Cheval, la pipe et la fleur rouge)* dans lesquelles l'influence du cubisme se fait ressentir.

15 oct.-12 déc. : participe au Salon d'automne, à Paris, et présente dans la section dédiée aux artistes catalans, *Autoportrait* et *Le Village de Montroig*.
26 oct.-15 nov. : présente trois œuvres à l'« Exposició d'art francès d'avantguarda » organisée par la galerie Dalmau à Barcelone.

1921

Effectue un second séjour à Paris et séjourne à l'hôtel Innova, 32 bd Pasteur puis à l'hôtel Naumur, 39 rue Delambre.
Début mars : travaille dans un atelier situé au 45 rue Blomet, prêté par Pablo Gargallo. Il a pour voisin André Masson. Il peint *Nature morte – gant et journal*, puis *Portrait d'une danseuse espagnole* que Picasso achète.
29 avr.-14 mai : première exposition personnelle de Miró à Paris, organisée par Dalmau à la galerie La Licorne, rue de la Boétie (29 peintures, 15 dessins).
Début juin-mi déc. : quitte Paris pour Barcelone puis se rend à Montroig.
À partir de cette année, passe tous les étés à Montroig et les hivers à Paris.
En juillet : commence *La Ferme*.

1922

Début mars-fin juin : habite à l'hôtel de la Haute-Loire, 203 boulevard Raspail et travaille à l'atelier rue Blomet où il termine *La Ferme* qui est présentée au Salon d'automne.
Été-fin déc. : Miró commence *L'Épi de blé, La Lampe à carbure, Grill et lampe à carbure, La Fermière*, peintures qui clôturent sa période dite « réaliste ».

Joan Miró was born April 20, 1893, in Barcelona, Passatge del Crèdit, 4. In 1907, in accordance with his father's wish, he registers at the School of Commerce of Barcelona but, at the same time, attends the classes of the Academy of Art of la Lonja till 1910. In 1911, his family buys a farm in Montroig, in the province of Tarragona. That same year, his parents accept their son's decision to devote himself entirely to art. From then on, Miró will spend all his summers in Montroig. From 1912 to 1915, he attends classes at Francesc Galí's Escola, a private art school open to the ideas of the European avant-garde. There, he meets Joan Prats, Josep Francesc Ràfols, Enric Cristòfol Ricart, and probably, Josep Llorens Artigas, who were to be lifelong his friends.

1917

In his studio, Sant Pere Més Bais, 51, in Barcelona, Miró begins to paint portraits, particularly those of his friends, and still lives. He visits the "Exposition d'art français" (April 23-July 5), which makes a strong impression on him. During the summer, he begins a series of fourteen paintings: landscapes of the surrounding countryside. Dec. 31: end of his military service.

1918

Starts to paint Nus. In February, he founds the Agrupació Courbet, with Artigas, Francesc Domingo, Espinal, Ràfols, Ricart and Rafael Sala.
Feb. 6-March 3: first personal exhibition at the Dalmau Gallery. The 64 paintings and drawings he exhibits provoke a scandal.
Early July-early Dec.: stays in Montroig. In his landscapes (La Maison du palmier, Le Potager à l'âne), *Miró applies himself to a thoroughly detailed representation of his surrounding.*

1919

Miró paints the Autoportrait *which later Picasso will buy and keep all his life. In Montroig, he carries on his work on landscapes (Le Village de Montroig, Vignes et Oliviers, Tarragone). Back in Barcelona, he paints the Nu au Miroir, and starts preparing his stay in Paris.*

1920

In Paris, Miró stays at the Hôtel de Rouen, 13 Notre-Dame-des-Victoires street. In March, he attends the classes of the Academy of the Grande Chaumière. He visits the most important museums and exhibitions at the time. Middle of July-middle of Oct.: back in Montroig. Miró works on still lives (La Table [Nature morte au lapin] ; Le Cheval, la pipe et la fleur rouge) in which the influence of cubism is manifest. Oct. 15-Dec. 12: takes part in the Salon d'automne in Paris and exhibits, in the section dedicated to Catalan artists, Autoportrait and Le Village de Montroig. Oct. 26-Nov. 15: exhibits three works at the "Exposició d'art francès d'avantguarda" organized by the Dalmau Gallery in Barcelona.

1921

Second leave to Paris where he stays at the Hôtel Innova, 32 Pasteur boulevard, later, at the Hôtel Naumur, 39 Delambre street. Early March: works in a studio, 45 Blomet street, lent by Pablo Gargallo. André Masson is his neighbour. He paints Nature morte – gant et journal and Portrait d'une danseuse espagnole which Picasso buys. April 29-May 14: Miró's first personal exhibition in Paris, organized by Dalmau at La Licorne Gallery, on De La Boétie street (29 paintings, 15 drawings). Early June-middle of Dec.: leaves Paris for Barcelona, then returns to Montroig. From that year on, spends all his summers in Montroig and his winters in Paris. July: begins La Ferme.

1922

Early March-end of June: lives at the Hôtel de Haute-Loire, 203 Raspail boulevard, and works in the Blomet street studio, where he finishes La Ferme which he exhibits at the Salon d'automne. Summer to end of Dec.: Miró begins L'Épi de blé, La Lampe à carbure, Grill et lampe à carbure, La Fermière which end his "realist" period.

1923

Début mars-fin juin : de retour à Paris. Dans les natures mortes commencées l'été précédent, Miró ne fait plus appel à la réalité comme modèle mais en extrait des éléments qu'il métamorphose en un système de signes. Été-fin déc. : à Montroig, commence à peindre *Terre labourée* et *Paysage catalan (Le Chasseur)*.

1924

À Paris, il commence une série de grandes peintures quadrillées au fusain, craie, crayon noir et huile *(La Lampe à kérosène, Portrait de Madame K.)*, un grand dessin *La Famille* et l'exécution du *Carnaval d'Arlequin* et de *Tête de Paysan catalan II*.
Fin juin [?]-mi-déc. : à Montroig, réalise de nombreux petits dessins sur fond de bois peint et parallèlement des peintures sur fonds monochromes comme *Baigneuse*. Il exécute également la série des « fonds gris » *(Maternité)*, celle des « fonds jaunes » *(Tête de paysan catalan I ; Sourire de ma blonde)* et une série de dessins sur papiers Ingres.

1925

Miró revient à Paris avec une soixantaine d'œuvres. André Breton lui rend visite pour la première fois.
En avril, il signe un contrat avec Jacques Viot, gérant de la galerie Pierre.
12-27 juin : première exposition personnelle à la galerie Pierre, rue Bonaparte, organisée par Jacques Viot. Cette manifestation marque l'engagement surréaliste de Miró qui tout en reconnaissant l'importance du mouvement, ne se sentira jamais obligé d'en adopter toutes les directives.
Après le 5 juil.-début nov. : à Montroig, commence une série de peintures *(La Sieste, Photo – ceci est la couleur de mes rêves, L'Addition)* et de tableaux-poèmes *(Étoile en des sexes d'escargot, Le Corps de ma brune...)* qualifiées par Jacques Dupin de « peintures oniriques » ou de « peintures de rêve » parce que leur origine provient de l'inconscient de l'artiste et qu'elles sont exécutées dans une très grande spontanéité.
14-25 nov. : participe à l'exposition « La Peinture surréaliste », à la galerie Pierre. Y sont exposées *Carnaval d'Arlequin* et *Dialogue des insectes*.

1926

Fév. [?] : de retour à Paris. Miró déménage dans un nouvel atelier, loué au nom de Jacques Viot, situé Cité des Fusains, 22 rue Tourlaque à Montmartre. Hans Arp, Max Ernst et Camille Goemans sont ses nouveaux voisins.
4 mai : première à Monte-Carlo de *Roméo et Juliette*, une production des Ballets russes de Diaghilev pour laquelle Miró a réalisé avec Ernst une partie des costumes. Lors de la première à Paris (18 mai) au théâtre Sarah Bernhard, les surréalistes interrompent la représentation.

Jacques Viot quitte la France précipitamment en laissant des dettes. Pierre Loeb devient le nouveau marchand de Miró.
Printemps-été : Michel Leiris publie son premier texte sur Miró dans la revue new-yorkaise *Little Review*.
9 juil. : à la suite du décès de son père, Miró part pour Barcelone.
Mi-août-mi-septembre : travaille durant l'été à Montroig aux peintures intitulées « paysages imaginaires » : *Personnage lançant une pierre à un oiseau, Chien aboyant à lune*.
19 nov. 1926-1er janv. 1927 : expose pour la première fois aux États-Unis, à l'« International exhibition of Modern Art Assembled by The Society Anonyme », organisée par Marcel Duchamp et Catherine J. Dreier, au musée de Brooklyn à New York.

1927

1er janv.-fin juin : à Paris, Miró continue à travailler dans son atelier de la rue Tourlaque. où il reste jusqu'en 1929. Il termine un autre cycle de « peintures de rêve » incluant : *Un oiseau poursuit une abeille et la baisse [sic]* ; *« 48 »* ; *Musique Seine Michel, Bataille et moi* ; *Le Toréador*.
Il achève un peu plus tard *Peinture (bleu), Peinture (Fratellini : personnage)* et *Peinture (Fratellini : trois personnages)*, ainsi que les peintures de la série « Chevaux de cirque » et « Fond blanc » dans lesquelles la spontanéité du geste est prédominante.
Début juil.-fin nov. : Miró commence une deuxième série de « paysages imaginaires » : *Paysage (Le Lièvre)* et *Paysage animé*.

1928

11 février : publication du *Surréalisme et la Peinture* d'André Breton où figurent les premières analyses sur Miró, Arp et Tanguy.
19 fév.-début juin : à Paris, Miró exécute les premières peintures-objets et une série de collages intitulés *Danseuses espagnoles* qui marque sa volonté d'« assassiner la peinture ».
1er-15 mai : son exposition organisée par Pierre Loeb à la galerie Georges Berheim & Cie, à Paris, remporte un succès critique et commercial.
5-17 mai : à son retour de Belgique et de Hollande, commence la série des *Intérieurs hollandais*, à partir des cartes postales achetées dans les musées.
Début juil.-mi nov. : à Montroig, Miró exécute *Intérieur hollandais I* (d'après *Le joueur de Luth* de H. M. Sorgh) ; *Intérieur hollandais II* (d'après *La Leçon de danse du chat* de Jan Steen) ; *Intérieur hollandais III*. Il travaille également à *Nature morte à la lampe* et à *Pomme de terre*.

1929

Travaille rue Tourlaque à la série de quatre peintures intitulées « portraits imaginaires » dont *Portrait de Mistress Mills en 1750*

1923

Early March-end of June: back in Paris.
In the still lives begun that previous summer, Miró no longer appeals to reality as a model but metamorphoses elements extracted from it into a system of signs.
Summer-end of Dec.: in Montroig, begins to paint Terre labourée and Paysage catalan (Le Chasseur).

1924

From then on in Paris, he begins a series of large canvasses completed with charcoal, chalk, pencil and oil (La Lampe à kérosène, Portrait de Madame K.), a large drawing (La Famille) and starts the painting of the Carnaval d'Arlequin and of Tête de paysan catalan II.
End of June [?]-middle of Dec.: in Montroig, achieves a number of small drawings on painted wood and, concurrently, paintings on monochromatic backgrounds, like the Baigneuse. He also paints the series of the "grey backgrounds" (Maternité), of the "yellow backgrounds" (Tête de paysan catalan I, Sourire de ma blonde) and a series of drawings on Ingres paper.

1925

Miró comes back to Paris with about sixty paintings. André Breton pays him a visit for the first time.
In April, he signs a contract with Jacques Viot, manager of the Pierre Gallery.
June 12-27: first personal exhibition at the Pierre Gallery, on Bonaparte street, organized by Jacques Viot. The event marks Miró's commitment with the Surrealist movement but, while convinced of its importance, he will never feel bound to adopt all of its directives.
From July-early Nov.: in Montroig, begins a series of paintings (La Sieste, Photo – ceci est la couleur de mes rêves, L'Addition) and poem-paintings (Étoiles en des sexes d'escargot, Le Corps de ma brune) termed by Jacques Dupin "dream paintings" because they originate in the artist's subconscious and are achieved in great spontaneity.
Nov. 14-25: he takes part in the exhibition entitled "Surrealist painting" at the Pierre Gallery, with the Carnaval d'Arlequin and Dialogue des insectes.

1926

Feb. [?]: back in Paris. Miró moves in a new studio, rented under Jacques Viot's name, located at the Cité des Fusains on Tourlaque street, in Montmartre. His new neighbours are Hans Arp, Max Ernst and Camille Goemans.
May 4: in Monte-Carlo, first night of Romeo and Juliet, created by Diaghilev's Russian Ballets, for which Miró, with Ernst, made part of the costumes. During the first night in Paris (May 8) at the Sarah Berhardt Theater,

the performance will be interrupted by the Surrealists.
Jacques Viot leaves France hastily leaving debts behind. Pierre Loeb becomes Miró's new agent.
Spring-summer: publication of Michel Leiris' first text on Miró's painting in a New-Yorkese magazine called Little Review.
July 9: following his father's death, Miró leaves for Barcelona.
Middle of Aug.-middle of Sept.: during the summer, in Montroig, works on the "imaginary landscapes": Personnage lançant une pierre à un oiseau, Chien aboyant à la lune...
Nov. 19, 1926-Jan. 1, 1927: exhibits a number of his paintings in the United States for the first time, at the "International Exhibition of Modern Art Assembled by the Society Anonymous", organized by Marcel Duchamp and Catherine Dreier, at the Brooklyn Museum in New York.

1927

Jan. 1-end of June: in Paris, Miró carries on his work in the Tourlaque street studio, where he will stay up until 1929. He finishes another cycle of "dream paintings" including: Un oiseau poursuit une abeille et la baisse [sic]; « 48 »; Musique Seine Michel, Bataille et moi; Le Toréador. Soon afterwards he finishes Peinture (Bleu), Peinture (Fratellini : personnage), and Peinture (Fratellini : trois personnages), as well as the "circus horses" and "white backgrounds" series in which the gesture's spontaneity is predominant.
Early July-end of Nov.: Miró begins another series of "imaginary paintings": Paysage (Le Lièvre) et Paysage animé.

1928

Feb. 11: publication of André Breton's Le Surréalisme et la Peinture, including analyses of Miró's, Arp's and Tanguy's paintings.
Feb. 19-early June: Miró achieves the first "object-paintings" and a series of collages entitled Danseuse espagnole, which manifest his will to "assassinate painting".
May 1-15: his exhibition organized by Pierre Loeb at the Georges Berheim & Cie Gallery is a critical and commercial success.
May 5-17: back from his trip to Belgium and Holland, begins the series of the Intérieurs hollandais, painted from postcards bought in museums.
Early July-middle of Nov.: in Montroig, Miró paints Intérieur hollandais I (from Le Joueur de luth by H. M. Sorgh); Intérieur hollandais II (from La Leçon de danse du chat by Jan Steen); Intérieur hollandais III. He also works on Nature morte à la lampe and on Pomme de terre.

1929

Works in the Tourlaque street studio at the series of four paintings entitled

et *Portrait de la reine Louise de Prusse*.
Été-automne : Miró séjourne à Barcelone, Montroig et Palma de Majorque. Il réalise une série de *Collages* de grands formats et commence les premières lithographies pour *L'Arbre des voyageurs* de Tristan Tzara.
12 oct. : épouse Pilar Juncosa à Palma de Majorque.
22 nov. : à Paris, le couple habite dans un appartement au 3, rue François-Mouthon, jusqu'en 1932 ; une des pièces sert d'atelier à Miró

1930

7-14 mars : exposition personnelle à la galerie Pierre où sont exposés les *Portraits imaginaires* et les *Intérieurs hollandais*.
28 mars-12 avr. : Miró participe à l'« Exposition de Collages » à la galerie Goemans. Le catalogue comprend un texte important de Louis Aragon, « La Peinture au défi ».
17 juil. : naissance de sa fille unique Maria Dolorès à Barcelone.
Mi-août-fin novembre : à Montroig, Miró travaille à une série de dessins sur papier Ingres et réalise ses premières *Constructions* faites de bois, de fer et d'objets assemblés.
20 oct.-8 nov. : première exposition personnelle à New York à la Valentine Gallery (douze peintures de 1926 à 1929).

1931

Début janv.-début juin : à Paris, Miró termine *Homme et femme,* premier exemple de la série des « peintures-objets » qu'il exécute entre 1931 et 1932.
Mi-ou fin juil. [?]-fin nov. : à Montroig, commence une nouvelle série de peintures à l'essence sur papier Ingres et réalise plusieurs assemblages intitulés *Objets* dans lesquels sont incorporés des objets trouvés.
Nov. : participe à l'exposition « Newer Super-Realism » au Wadsworth Atheneum, à Hartford (Connecticut).
18 déc.-8 janv. : Miró expose ses sculptures à la galerie Pierre à Paris. Après avoir visité l'exposition, le chorégraphe Léonide Massine lui commande les décors et les costumes de *Jeux d'enfants*, pour les Ballets russes de Monte-Carlo.

1932

Janv.-14 fév. : Miró se réinstalle dans la maison de ses parents Passatge del Crèdit, à Barcelone. Il prend une certaine distance par rapport au milieu artistique parisien et avec le groupe surréaliste.
14 avr. : première de *Jeux d'enfants* au théâtre de Monte-Carlo (musique de Georges Bizet, livret de Boris Kochno, chorégraphie de Léonide Massine, décors, costumes et rideau de scène de Miró).
11 juin : première de *Jeux d'enfants* au théâtre des Champs-Élysées à Paris.
8 juil.-fin octobre ou novembre [?] : à Montroig, réalise douze petites peintures sur carton ou panneau de bois qui sont

des variations sur la morphologie féminine *(Flamme dans l'espace et femme nue ; Baigneuse...)*.
1er-25 nov. : expose à la Pierre Matisse Gallery de New York. Pierre Matisse devient son représentant officiel aux États-Unis.

1933

À Barcelone, Miró réalise une série de dix-huit *Collages* à partir d'illustrations de machines et objets usuels découpés dans des catalogues et des journaux.
3 mars-13 juin : à partir des *Collages,* exécute une série de dix-huit *Peintures*.
7-18 juin : présente quatre objets à l'« Exposition surréaliste », à la galerie Pierre Colle à Paris.
Vers le 22 juin : Miró habite chez Calder au 14, rue de la Colonie. Il s'initie à la gravure dans l'atelier de Louis Marcoussis.
Début août-début oct. : réalise à Montroig une série de *Dessins-collages* qui incorporent des cartes postales, des publicités, des illustrations de machines.
Fin de l'automne : Miró commence à travailler à quatre projets de cartons de tapisserie qui lui sont commandés par Marie Cuttoli : *Personnage avec étoile ; Hirondelle-amour ; Personnages rythmiques ; Escargot-femme-fleur-étoile.*

1934

1er janv.-fin fév. : à Barcelone, Miró fait des expériences avec des nouveaux supports tels le papier noir ou le papier de verre.
1er avril : signe son premier contrat avec Pierre Matisse.
Juin : *Cahiers d'art,* revue dirigée par Christian Zervos, consacre un numéro spécial à Miró.
Oct.-nov. : Miró se lance dans la série des grands « pastels sur papier velours » qui marque la période des « peintures sauvages ».

1936

Éclatement de la guerre civile en Espagne. Fait venir sa famille à Paris.

Après la Seconde Guerre mondiale

La renommée artistique de Miró ne cesse de s'accroître. Il est célébré par des expositions dans le monde entier. Le 10 juin 1975 s'ouvre au public la Fundació Joan Miró-Centre d'Estudis d'art contemporani, à Barcelone. Conçue en 1981, la Fundació Pilar i Joan Miró à Palma de Majorque pour sauvegarder les ateliers de l'artiste est inaugurée officiellement en 1992.

1983

Après avoir fêté son quatre-vingt-dixième anniversaire, Miró meurt à Palma de Majorque le 25 décembre. Il est enterré au cimetière de Montjuïc.

"imaginary portraits", including Portraits de Mistress Mill in 1750 and *Portrait de la reine Louise de Prusse.*
Summer-autumn: Miró sojourns in Barcelona, Montroig and Palma de Majorque. He makes a series of collages of big size and begins the first lithographies for Tristan Tzara's *L'Arbre des voyageurs.*
Oct. 12: marries Pilar Juncosa in Palma de Majorque.
Nov. 22: in Paris, the couple lives in an apartment, 3 François-Mouthon street, one of the rooms of which Miró uses as his studio.

1930

March 7-14: personal exhibition at the Pierre Gallery where the *Portraits imaginaires* and the *Intérieurs hollandais* are shown.
March 28- April 12: Miró takes part in the "Exposition de Collages" at the Goemans Gallery. The catalogue includes an important text by Louis Aragon: "La Peinture au Défi".
July 17: birth of his only daughter Maria Dolorès in Barcelona.
Middle of Aug.-end of Nov.: in Montroig Miró works on a series of drawings on Ingres paper and carries through his first *Constructions* made of wood, iron and assembled objects.
Oct. 28-Nov. 8: first personal exhibition in New York at the Valentine Gallery (twelve paintings from 1926 to 1929).

1931

Early Jan.-early June: in Paris Miró finishes Hommes et femmes, first example of the "object-paintings" series which he carries through from 1931 to 1932.
Middle or end of July [?]-end of Nov.: in Montroig begins a new series of petrol paintings on Ingres paper and achieves a number of assemblings entitled Objets in which he incorporated found objects.
Nov.: takes part in the "Newer Super-Realism" exhibition at the Wadsworth Atheneum in Hartford (Connecticut).
Dec. 18-Jan. 8: Miró exhibits his sculptures at the Pierre Gallery in Paris. After having seen the exhibition, the choreographer Léonide Massine places an order with Miró for the scenery and costumes of Jeux d'enfants, for the Russian Ballets of Monte-Carlo.

1932

Jan.-Feb. 14: Miró settles back into his parent's house on the Passatge del Crèdit in Barcelona. He stays at distance with the Parisian artistic circles and the Surrealists.
Apr. 14: first night of Jeux d'enfants at the Monte-Carlo Theater (music by Georges Bizet, booklet by Boris Kochno, choreography by Léonide Massine, curtain, scenery and costumes by Miró).
June 11: first night of Jeux d'enfants at the Champs-Elysées Theater in Paris.

July 8-end of Oct. or Nov. [?]: in Montroig he executes twelve small paintings on cardboard or wood pannel, variations on feminin morphology (Flamme dans l'espace et femme nue; Baigneuse...).
Nov. 1-25: exhibits at the Pierre Matisse Gallery in New York. Pierre Matisse becomes his official agent in the United States.

1933

In Barcelona Miró carries out a series of eighteen Collages, from illustrations of machines and ordinary objects cut out from catalogues and newspapers.
March 3-June 13: paints a series of eighteen Peintures from the Collages.
June 7-June 18: exhibits four objects at the "Exposition surréaliste" at the Pierre Colle Gallery in Paris.
Around June 22: Miró lives at Calder's, 14 La Colonie street. He learns engraving in Louis Marcoussis' studio.
Early Aug.-early Oct.: achieves a series of Dessins-collages incorporating postcards, advertisements and illustrations of machines.
End of autumn: Miró starts working on four projects of tapestry cartoons ordered by Marie Cuttoli: Personnage avec étoile; Hirondelle-amour; Personnages rythmiques; Escargot-femme-fleur-étoile.

1934

Jan. 1-end of Feb.: in Barcelona Miró experiments with new supports like black paper, sandpaper...
Apr. 1: signs his first contract with Pierre Matisse.
June: Cahiers d'art, a review run by Christian Zervos, dedicates a special issue to Miró.
Oct.-Nov.: Miró begins the series of the big "pastels on velvet paper" caracteristic of the "peintures sauvages" period.

1936

The Civil war breaks out in Spain. Miró has his family moved to Paris.

After the Second World War

Miró's fame does not cease to grow. Exhibitions of his paintings all over the world celebrate the artist. June 10, 1975, the Fundació Joan Miró – Centre d'Estudis d'art contemporani is open to the public in Barcelona. Considered in 1981, the Fundació Pilar i Joan Miró to preserve the artist's studios is officially inaugurated in 1992 in Palma de Majorque.

1983

After having celebrated his ninetieth birthday, Miró dies in Palma de Majorque December 25. He is buried in the cemetery of Montjuïc.

Catalogues raisonnés

Dupin, Jacques, *Miró,* Paris, Flammarion / New York, Harry N. Abrams, 1961

Id., *Miró,* Paris, Flammarion, coll. « Grandes monographies », 1993

Id., en collaboration avec Ariane Lelong-Mainaud, *Joan Miró, catalogue raisonné. Paintings,* 6 vol., Paris, D. Lelong / Successió Miró, 1999-2003

Écrits et entretiens de Joan Miró

Trabal, Francesc, « Les arts : una Conserva amb Joan Miró », *La Publicitat* [Barcelone], vol. 50, n° 16932, 14 juillet 1928, p. 4

Duthuit, Georges, « Où allez-vous Miró ? », *Cahiers d'art* [Paris], vol. 11, n° 8-10, 1936, p. 261-265

Eluard, Paul, « Naissance de Miró », *Cahiers d'art* [Paris], vol. 12, n° 1-3, 1937, p. 78-83

Santos Torroella, Rafael, « Miró aconseja a nuestros pintores jóvenes », *Correo literario* [Madrid], 15 mars 1951, p. 1

Miró, Joan, Taillandier, Yvon, « Je travaille comme un jardinier », *XXᵉ Siècle* [Paris], 15 février 1959

Vallier, Dora, « Avec Miró », *Cahiers d'art* [Paris], vol. 33-35, 1960, p. 160-174

Miró, Joan, « Propos de Joan Miró recueillis par Rosamond Bernier », *L'Œil* [Paris], n° 79-80, juillet-août 1961, p. 12-19

Chevalier, Denys, « Miró », *Aujourd'hui : art et architecture* [Boulogne], vol. 7, n° 39, novembre 1962, p. 6-13

Miró, Joan, Picon, Gaëtan, *Joan Miró. Carnets catalans : dessins et textes inédits,* 2 vol., Genève, Skira, coll. « Les sentiers de la création », 1976 ; *The Catalan Notebooks,* New York, Rizzoli, 1977 ; *Carnets catalans,* Barcelone, Polígrafa, 1980 ; *Cuadernos catalanes,* Barcelone, Polígrafa, 1980

Miró, Joan, *Ceci est la couleur de mes rêves. Entretiens avec Georges Raillard,* Paris, Seuil, 1977 ; *Conversaciones con Miró,* Barcelone, Granica, 1978 ; *I colori dei miei sogni. Conversazione con Georges Raillard,* Milan, Emme edizioni, 1979

Miró, Joan, Ràfols, J. F., *Joan Miró. Cartes a J. F. Ràfols (1917 / 1958),* Francesc Fontbona, Soberanas Amadeu (éd.), Barcelone, Biblioteca de Catalunya, Editorial Mediterrània, 1993

Santos Torroella, Rafael, « Unas cartas de Miró a Dalmau », *Kalías : Revista de Arte* [Valence], vol. 5, n° 9, 1993, p. 64-77

Rowell, Margit (ed), *Miró. Selected Writings and Interviews,* Boston, G. K. Hall, 1986 ; *Joan Miró. Écrits et entretiens,* choisis, présentés et annotés par Margit Rowell, Paris, Daniel Lelong, 1995

Duchamp, Marcel, Miró, Joan, *Demande d'emploi,* présenté par Jacques Dupin et Jean Suquet, Paris, L'Échoppe, 2002

Monographies

Diehl, Gaston, *Miró,* Paris, Flammarion, 1974

Dopagne, Jacques, *Miró,* Paris, Hazan, 1974

Jouffroy, Alain, *Miró,* Paris, Hazan, 1987

Dupin, Jacques, *Miró,* Paris, Flammarion, 1993

Gimferrer, Pere, *Miró, Catalan universel,* Paris, Hier et Demain, 1978

La Beaumelle, Agnès Angliviel de, *Miró, La Collection du Musée national d'art moderne,* Paris, Éditions du Centre Pompidou / RMN, 1999

Labrusse, Rémi, *Un feu dans les ruines,* Paris, Hazan, 2004

Malet, Rosa Maria, *Joan Miró,* Barcelone, Polígrafa, 1983 ; Paris, Albin Michel, 1983

Mink, Janis, Joan *Miró 1893-1983,* Cologne, Taschen, 1993

Penrose, Roland, *Miró,* Londres, Thames and Hudson, 1970 ; Barcelone, Daimon, 1976 ; *Joan Miró,* Londres, Thames and Hudson, 1990 (en français)

Raillard, Georges, *Miró,* Paris, Hazan, 1989

Centre national
d'art et
de culture
Georges Pompidou

BRUNO RACINE
Président

BRUNO MAQUART
Directeur général

ALFRED PACQUEMENT
Directeur du Musée national d'art moderne–
Centre de création industrielle

DOMINIQUE PAÏNI
Directeur du Département du développement culturel

JEAN-PIERRE MARCIE-RIVIÈRE
Président de l'Association pour le développement
du Centre Pompidou

FRANÇOIS TRÈVES
Président de la Société des amis du Musée national
d'art moderne

Exposition

AGNÈS DE LA BEAUMELLE
Commissaire général

CLAUDE LAUGIER
Commissaire adjoint

ANNE GUILLEMET
Chargée de production

LAURENCE FONTAINE
Scénographie

Catalogue d'exposition

AGNÈS DE LA BEAUMELLE
Directeur d'ouvrage

*Le Centre national d'art et de culture Georges Pompidou est
un établissement public national placé sous la tutelle du
ministère chargé de la culture (loi n⁰ 75-1 du 3 janvier 1975).*

Album

Album réalisé à l'occasion de l'exposition
« JOAN MIRÓ 1917-1934. LA NAISSANCE DU MONDE »
Centre Pompidou, Paris,
Galerie 1, 3 mars-28 juin 2004

Conception
CAROLINE EDDE

Chargée d'édition
MARION DIEZ

Traduction en anglais
CHARLOTTE ROUILLON

Conception graphique
et mise en pages
VINCENT LECOCQ, SOYOUSEE.COM

Fabrication
BERNADETTE BOREL LORIE

Éditions du Centre Pompidou

Directeur
PHILIPPE BIDAINE

Responsable du service éditorial
FRANÇOISE MARQUET

Responsable commercial et droits étrangers
BENOÎT COLLIER

Gestion des droits et des contrats
CLAUDINE GUILLON, MATTHIAS BATTESTINI

Administration des Éditions
NICOLE PARMENTIER

Administration des ventes
JOSIANE PEPERTY

LES CITATIONS DE L'ALBUM SONT EXTRAITES DE :

*p. 5, 7, 10, 17, 20, 24, 25, 28, 31, 33, 34, 36, 38, 51, 53, 54 :
Joan Miró. Écrits et entretiens,* choisis, présentés et annotés par
Margit Rowell, Paris, Daniel Lelong, 1995, p. 67, 269, 68, 128, 272, 269,
112, 285, 270, 132, 127-128, 287, 132, 110-111 ; *Miró. Selected Writings
and Interviews,* Margit Rowell (ed), Boston, G. K. Hall, 1986, p. 57, 248,
58, 116, 251, 247, 101, 264, 248, 122, 116, 266, 122, 98

p. 2, 23 : Miró, *Ceci est la couleur de mes rêves. Entretiens avec
Georges Raillard,* Paris, Seuil, 1977, p. 168, 69

p. 6 : Camillo José Cela et Pere A. Serra, *Miró et Mallorca,* Paris,
Cercle d'art, 1985

p. 14, 41 : Lettre à Ràfols, 1924 dans *Miró,* cat. d'expo., Martigny,
Fondation Pierre Gianadda, 1997, p. 44

p. 26 : E. Tériade, *Écrits sur l'art,* Paris, A. Biro, p. 143

p. 46 : Lettre à Picasso, 10 février 1924, Paris, Archives Picasso,
Musée Picasso

COUVERTURE :

Peinture *(La Naissance du monde),* 1925 (détail)
Huile sur toile, 250,8 x 200 cm
New York, The Museum of Modern Art

4ᵉ DE COUVERTURE :

Man Ray, *Joan Miró,* 1930
Épreuve aux sels d'argent, 23 x 17,2 cm
Paris, Centre Pompidou, Musée national d'art moderne

CRÉDITS PHOTOGRAPHIQUES :

© Collection Groupe Lhoist, p. 41
© Digital Image 2004, The Museum of Modern Art, New York, couv., p. 13 h. et b.,
17 b., 21, 32 g. et dr., 35, 37, 39, 54
© Fondation Beyeler, Riehen/Bâle, p. 24
© Fundació Joan Miró [Photo Jaume Blassi] p. 6, 17 h., 45
© Galerie Jan Krugier, Ditesheim & Cie, p. 48 g.
© Galerie Odermatt-Vedovi, p. 49
© Image 2003, Board of Trustees, National Gallery of Art, Washington
[Photo Philip A. Charles] p. 14
© Bob Kolbrener, p. 28
© Kunsthaus Zürich, Zurich, p. 43 b.
© Kunstsammlung Nordrhein-Westfalen, Düsseldorf [Photo Walter Klein] p. 8, 20
© Milwaukee Art Museum, Milwaukee [Photo John Nienhuis/Dedra Walls] p. 27
© Moderna Museet, Stockholm [Photo SKM 1996/ Per Anders Allsten], p. 7
© Musée d'art moderne Lille Métropole, Villeneuve d'Ascq [Photo Philippe
Bernard] p. 44 ; [Photo Rouhier, Studio Loumel] p. 50 h.
© Museo Nacional Centro de Arte Reina Sofia Photographic Archive, Madrid, p. 5
© Philadelphia Museum of Art, Philadelphie [Photo Craydon Wood, 1992] p. 23, 31
© Photo Cnac/Mnam Dist. RMN, 4ᵉ de couv. ; [Photo Jean-François Tomasian]
p. 12, 18 h. et b., 55 ; [Photo Philippe Migeat] p. 36 g., 40, 42 h. ; [Photo Jacques
Faujour] p. 42 b., 43 h.
© Photo Dist. RMN [Photo J. G. Berizzi] p. 3
© Rheinisches Bilarchiv, p. 26
© Peter Schibli, p. 22
© Sprengel Museum Hannover, Hanovre [Photo Michael Herling/Aline Gwose,
VG-Bild Kunst, Bonn] p. 51
© Staatsgalerie, Stuttgart, p. 38
© Successió Miró, Palma de Majorque, p. 47, 48 dr.
© Tate, Londres, p. 30
© Tate, Londres et Scottish National Gallery of Modern Art, Édimbourg
[Photo Antonia Reeve] p. 19
© The Menil Collection, Houston [Photo Hickey-Robertson, Houston] p. 46
© 2004 The Metropolitan Museum of Art, New York, p. 33 ; [Photo Malcolm Varon,
NCY, 1988] p. 34
© The Minneapolis Institute of Art, Minneapolis, p. 11
© The Saint Louis Art Museum, Saint-Louis, p. 9
© The Salomon R. Guggenheim, New York, p. 25 ; [Photo David Heald] p. 4, 15
D. R., p. 10, 16, 29, 36 dr., 50 b., 52, 53

© Successió Miró / Adagp, Paris, 2004
© Man Ray Trust / Adagp, Paris, 2004
© Éditions du Centre Pompidou, Paris, 2004

ISBN : 2-84426-228-7, n° d'éditeur : 1230, dépôt légal : mars 2004

Achevé d'imprimer sur les presses de l'imprimerie Mame, à Tours
Imprimé en France